Kimamila

et l'attaque du château fort

Manu

Kimamila

Alorie

Stéphane Descornes
Illustrations de Nils

1
La visite

Manu et Alorie visitent
un château avec leur classe.
La maîtresse s'arrête devant
un grand tableau. On y voit
des chevaliers du Moyen Âge
en pleine bataille.

La maîtresse parle beaucoup.
Alorie s'ennuie et n'écoute pas.

Manu, au contraire, regarde
tout autour de lui : les armures,
les tableaux, les objets anciens…

Alorie en a assez.
Elle décide de quitter le groupe
et de se promener seule dans
les couloirs. Elle rase les murs*,
se cache pour éviter les
gardiens... Quelle aventure !

Soudain, une lumière vive
l'attire. Il y a un trou dans
un mur ! Alorie s'approche.
Mais une voix l'appelle,
c'est Manu qui l'a suivie...

– Alorie, reviens ! Que fais-tu ?
Sans hésiter, Alorie passe dans
le trou !

Alorie se retrouve dans
une grande salle. Dehors,
des cris, des bruits énormes
retentissent ... Que se passe-t-il ?
Elle regarde par une fenêtre.
Des chevaliers en armures
attaquent le château !

Manu, qui vient de la rejoindre,
comprend tout :

– Nous sommes passés
dans une autre époque !

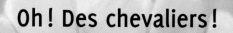

Oh ! Des chevaliers !

Coucou les amis !

2
En pleine bataille!

Sur l'énorme cheminée de
la pièce, un bibelot* s'agite
et fait signe aux enfants.

– C'est Kimamila! s'écrie Manu.

– Alorie! Manu! Je suis venu
vous aider! sourit le lutin.
Suivez-moi!

Dehors, l'attaque est terrible.
Une pluie de flèches et de
boulets s'abat autour d'eux.

Kimamila protège ses amis
à l'aide d'un bouclier magique.
Bientôt, les ennemis entrent
dans le château et commencent
à tout piller*.

Soudain, un soldat attrape
les enfants.

– Que faites-vous là,
vous deux ? demande-t-il.

Il emmène ses prisonniers
et les enferme dans une grande
cage suspendue.

À l'aide, Kimamila !

Enfin libres !

3
À travers le temps

Le soldat s'éloigne. Kimamila en profite pour ouvrir la cage et libérer ses amis.

– Comment faire pour rentrer chez nous ? se lamente Manu.

– Il faut retourner dans
le château et retrouver
vos camarades, dit Kimamila,
en sautant sur une catapulte*.

Grimpez !
WIZZZZ ! Les voilà qui s'envolent
dans les airs.

Les enfants atterrissent en douceur dans la cour du château. Hélas ! Le soldat qui les avait capturés fonce sur eux.

– Vite, dit le lutin. Je connais
un passage. Dans le tableau !

– Dans le tableau ? demandent
les enfants surpris.

Voilà notre classe !

Ouf! Kimamila et ses amis
passent de l'autre côté
du tableau et se retrouvent...
dans le présent!

Finalement, Alorie est contente de reprendre la visite.

– On est quand même mieux à notre époque ! soupire-t-elle.

Merci Kimamila !

Petit lexique

Si certains mots t'ont semblé difficiles, je vais t'aider !

Raser les murs : chercher à passer inaperçu, à se cacher.

Bibelot : petit objet décoratif.

Piller : voler des objets en abîmant tout ce qui se trouve autour.

Catapulte : machine de guerre utilisée autrefois pour lancer des pierres.

Méli-mélo

Mets les mots dans l'ordre
pour retrouver les phrases du texte.

un / maîtresse / tableau / s'arrête / grand / devant / la

_____

bouclier / kimamila / amis / magique / ses / protège / avec / un

_____

visite / Alorie / est / reprendre / de / contente / finalement / la

_____

Passé ou présent?

Entoure ce que l'on trouvait souvent au Moyen Âge.